KB007904

중요한 시험을 보다

글 신시아 라일런트 | 그림 수시 스티븐슨

Contents

똑똑한 개

어느 화창한 날

헨리와 헨리의 엄마

그리고 헨리의 큰 개 머지는

그들의 현관에 앉아 있었다.

한 남자가 콜리를 데리고 지나갔다.

갑자기 그 남자가 멈춰 섰다.

"앉아." 남자가 말했다.

콜리가 앉았다.

"엎드려." 남자가 말했다.

콜리가 엎드렸다.

헨리는 머지를 보았다.

머지도 헨리를 보았다.

그들 둘 다 콜리를 보았다.

"가만히 있어." 남자가 말했다.

그러더니 그는 길을 따라

멀리 걸어갔다.

그는 뒤돌아보지 않았다.

콜리는 가만히 있었다.

남자는 다른 길로 들어섰고

사라졌다.

콜리는 가만히 있었다.

잠시 후 그 남자가 돌아왔다.

“수지, 따라와.” 그가 콜리에게 말했고,

그들은 함께 거리를 따라 걸어갔다.

헨리는 그의 엄마를 바라보았다.

"우와." 그가 말했다.

"똑똑한 개야." 엄마가 말했다.

헨리는 머지를 바라보았다.

"머지, 따라와." 헨리가 말했고, 그는 계단을

걸어 내려갔다.

머지는 돌아누웠고

침을 흘리기 시작했다.

“뭐, 적어도 녀석은

가만히 있는 것은 잘해요.” 헨리가 말했다.

"손님이 올 때는 빼고 말이야."

헨리의 엄마가 말했다.

"맞아요." 헨리가 얼굴을 찌푸렸다.

"그리고 옆집 고양이가

놀러 오려고 할 때도." 헨리의 엄마가 말했다.

"맞아요." 헨리가 더 많이 얼굴을 찌푸렸다.

"그리고 네 아빠가 잔디를 깎고 있을 때도."

헨리의 엄마가 말했다.

"맞아요." 헨리가 훨씬 더 많이 얼굴을 찌푸렸다.

“어쩌면 머지는 학교에 가야 할지도 몰라요.”

헨리가 자신의 엄마에게 말했다.

“그럴지도 모르지.”

“어쩌면 머지는 크로커스 선생님 같은

좋은 선생님이 필요할지도 몰라요.” 헨리가 말했다.

크로커스 선생님은 헨리의

2학년 선생님이었다.

“그럴지도 모르지.” 헨리의 엄마가 미소 지었다.

"머지." 헨리가 말했다. "너

학교에 가고 싶니?"

머지는 코를 골고 침을 흘렸다.

"애견 학교에 낮잠 자는 시간이 있으면 좋겠어요."

헨리가 말했다.

"그리고 많은 키친타월도."

그녀의 집 현관을 쳐다보며,

헨리의 엄마가 말했다.

BIRDS

머지가 학교에 가는 첫날을 위해

헨리는 쇼핑하러 갔다.

그는 머지에게 새 빨간색 목줄을 사 주었다.

그는 머지에게 새 은색 개 목걸이를 사 주었다.

그는 머지에게 간으로 만든 간식 한 상자를 사 주었다.

그리고 헨리는 자신을 위해

패들볼을 샀는데 왜냐하면

그가 초조했기 때문이었다.

헨리는 초조할 때

패들볼을 하는 것을 좋아했다.

그리고 그는 머지가 애견 학교에서

낙제할지도 모른다고 생각했기 때문에

초조했다.

그는 머지가 선생님의 발 위에

침을 흘릴지도 모른다고 생각했다.

아니면 실수로 푸들을 깔고 앉을지도 몰랐다.

아니면 심지어 무언가를 할 정도로

충분히 오래 깨어 있지 않을지도 몰랐다.

헨리는 정신없이 패들볼을 했다.

학교에 가는 첫날이

되었을 때, 헨리와 헨리의 엄마

그리고 헨리의 큰 개 머지는

길고 하얀 건물로 차를 몰고 갔다.

그것의 간판에는 이렇게 쓰여 있었다. "팝의 애견 학교"

그 안에는 애견용 간식을 한 움큼 가진

잭 팝이 있었다.

“팝 선생님이 네 선생님이야.”

헨리가 머지에게 말했다.

머지는 꼬리를 흔들었다.

녀석은 벌떡 일어나서 잭 팝의 얼굴을 핥았다.

“안 돼 머지!” 헨리가 말했다.

"걱정하지 마." 잭 팝이 말했다.

"나는 어떻게 해야 하는지 알고 있단다."

그는 머지의 앞발들을 잡았다.

그는 놓아주지 않았다.

그는 머지와 함께 춤추며 앞으로 갔다.

그는 머지와 함께 춤추며 뒤로 갔다.

그는 머지와 함께 이리저리 춤췄다.

머지는 춤추는 것을 좋아하지 않았다.

잭 팝이 마침내 놓아주었을 때,

머지는 다시 벌떡 일어나지 않았다.

녀석은 잭이 춤추고 싶어 할까 봐

두려워했다.

"꽤 괜찮은 선생님이에요."

헨리가 자신의 엄마에게 말했다.

"정말 괜찮은 것 같네." 그녀가 말했다.

그들은 잭 팝이 머지에게 애견용 간식을 주고

머지를 안아 주는 것을 지켜보았다.

지금까지 애견 학교는 재미있었다.

중요한 시험

머지는 완벽한 학생이 아니었다.

녀석은 눕는 것을 지나치게 좋아했다.

녀석은 다른 학생들의 냄새를 맡는 것을 좋아했다.

녀석은 다른 것들에 대해 생각하는 것을 좋아했다.

하지만 녀석은 항상 출석했다.

그리고 녀석은 항상 자신의 꼬리를 흔들었다.

그리고 녀석은 항상 자신의 선생님에게 뽀뽀했다.

집에서 헨리는 머지와 함께 연습했다.

그들은 뒷마당에서 연습했다.

헨리는 주머니 하나에 간으로 만든 간식들을 가득 채웠다.

머지가 무언가를 제대로 하면,

녀석은 간식을 얻었다.

머지가 무언가를 잘못하면,

녀석은 "어휴, 머지"라는 말을 들었다.

그리고 몇 주 후에,

헨리는 간으로 만든 간식들로 가득 찬

주머니가 *두 개* 필요했는데

왜냐하면 머지가 거의 모든 것을

제대로 하고 있었기 때문이었다.

녀석은 "앉아"라는 말을 들으면 앉았다.

녀석은 "따라와"라는 말을 들으면 걸었다.

그리고 녀석은 "가만히 있어"라는 말을 들으면 가만히 있었다.

어쨌거나, 대부분의 경우에는 그랬다.

옆집 고양이가 놀러 오면

녀석은 여전히 그다지 잘하지 못했다.

헨리와 머지는 8주 동안

애견 수업을 들었다.

그들은 아주 열심히 했다.

그들은 간으로 만든 간식 상자들을 많이 먹어 치웠다.

수업 마지막 날에는 중요한 시험이 있었다.

헨리와 헨리의 부모님 그리고

헨리의 큰 개 머지는 일찍 도착했다.

어떤 개들이 시험을 통과했는지 잭 팝이

결정할 것이었다.

그는 머지가 비글 다음에 그리고 차우차우보다 먼저

시험을 치를 것이라고 말했다.

“넌 착한 개야, 머지.” 헨리가 속삭였다.

“우리는 할 수 있어.”

그들의 차례가 되었을 때,

잭 팝이 머지에게 말했다.

“좋아, 머지, 네가 어떻게 하는지 보자.”

잭 팝이 헨리에게 활짝 미소를 지었다.

“앉아.” 헨리가 말했다.

머지가 앉았다.

“엎드려.” 헨리가 말했다.

머지가 엎드렸다.

“가만히 있어.” 헨리가 말했다.

머지는 가만히 있었다.

헨리가 멀리 걸어갔다.

그는 뒤돌아보지 않았다.

그는 길고 하얀 건물 주위를 돌아서 걸어가며,

그가 자신의 패들볼을

갖고 있었더라면 하고 바랐다.

그는 머지가 가만히 있어 주기를 정말로 바랐는데. . .

머지가 정말 가만히 있었다!

헨리가 돌아왔을 때

그는 머지가 자기 꼬리를 흔들면서,

같은 곳에 엎드려 있는 것을 보았다.

그는 머지를 꼭 안아 주었고

뽀뽀를 했고 간으로 만든 간식 두 개를 주었다.

헨리는 잭 팝과 악수했다.

머지는 잭 팝과 악수했다.

머지가 그 시험을 통과했던 것이다.

녀석은 멋진 수료증을 받았다.

녀석은 금색 리본을 받았다.

녀석은 거대한 애견용 비스킷을 받았다.

헨리의 아빠와 헨리의 엄마는

박수를 치고 또 쳤다.

"우와." 헨리의 아빠가 말했다.

"똑똑한 개로구나." 헨리의 엄마가 말했다.

"훌륭한 개예요." 헨리가 말했다.

머지는 그들에게 꼬리를 흔들었고

짖었고

마지막으로 한 번 더

녀석의 선생님 발 위에 침을 흘렸다.

Activities

영어 원서를 총 여섯 개의 파트로 나누어,
각 파트별로 다양한 액티비티를 담았습니다.

각 파트의 영어 원서 페이지는 롱테일북스에서 출간된
'롱테일 에디션'을 기준으로 합니다!
수입 원서와는 페이지 구성에 차이가 있으니 참고하세요.

VOCABULARY

맑은

sunny

어머니

mother

큰

big

개

dog

앉다

sit

현관

porch

걷다

walk

갑자기

suddenly

멈추다 (과거형 stopped)

stop

~을 보다

look at

둘 다

both

가만히 있다, 머무르다

stay

거리

street

돌다, 되다; 차례

turn

다른, 또 하나의

another

사라지다

disappear

바로 뒤를 따라가다

heel

함께

together

VOCABULARY QUIZ

1 그림에 맞는 단어를 퍼즐에서 찾아 표시하고 단어를 써 보세요.

a	w	c	a	f	q	y	b	n	j	k
s	u	n	n	y	z	s	s	m	u	v
j	f	g	o	q	e	t	d	o	l	s
k	s	h	t	u	z	r	z	t	f	d
v	t	l	h	a	l	e	o	h	w	o
z	o	z	e	q	d	e	d	e	v	i
n	p	c	r	x	f	t	c	r	q	e
e	q	f	j	k	l	l	u	o	i	e
r	t	t	o	g	e	t	h	e	r	a
a	h	c	k	e	i	r	l	s	n	q
h	e	e	l	j	f	d	m	d	o	g

2 그림에 맞는 단어를 연결하고 빈칸에 알맞은 알파벳을 넣어 보세요.

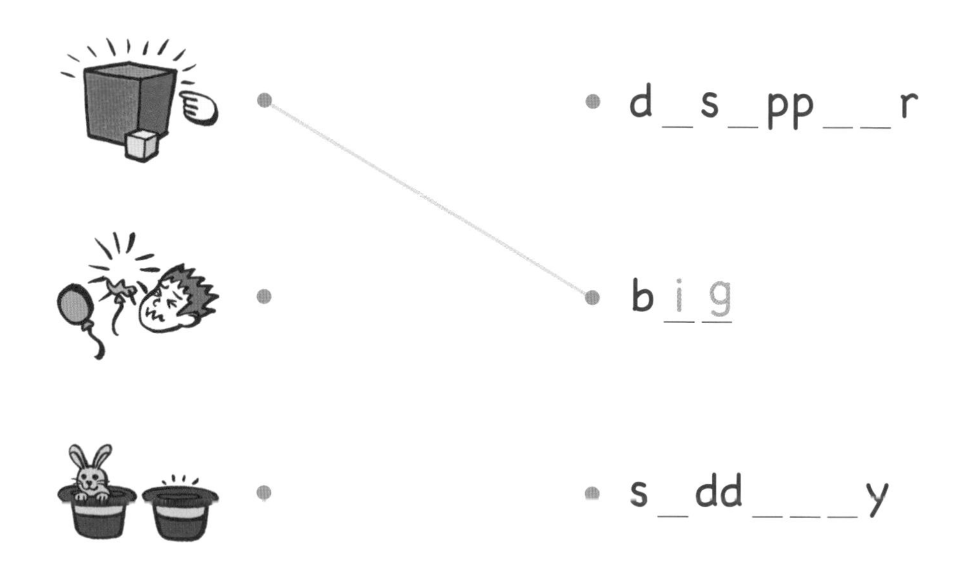

3 글자를 바르게 배열하여 단어를 완성해 보세요.

WRAP-UP QUIZ

1 이야기의 순서에 맞게 그림을 배열해 보세요.

a

The collie stayed even though its owner walked away.

b

Suddenly a man came and ordered his dog to sit.

c

Both Henry and Mudge looked at the man and the collie.

d

Henry, his mother, and Mudge were on the front porch.

2 다음 질문에 알맞은 답을 선택해 보세요.

1) What happened when Henry, Henry's mother, and Mudge were on their front porch?

a. A man walked by with his dog.

b. A woman ran down the street.

c. A stray cat meowed at them.

2) What did the collie do when his owner gave it an order?

a. The collie fell asleep.

b. The collie ignored every order.

c. The collie followed all orders exactly.

3) What did the collie do when the man disappeared?

a. The collie barked a lot.

b. The collie followed the man.

c. The collie stayed.

3 책의 내용과 일치하면 T, 그렇지 않으면 F를 적어 보세요.

1) A man with a cat walked by Henry's house. ____

2) The collie did as the man ordered. ____

3) Henry and Mudge were not interested in the collie. ____

PATTERN DRILL

유용한 영어 표현

“Sit,” said the man. The collie sat.
“앉아.” 남자가 말했다. 콜리가 앉았다.

어느 날 헨리와 머지는 집 앞을 지나가던 개가 주인의 명령을 따르는 모습을 보게 되었어요. 개의 주인이 개에게 “Sit(앉아)”, “Down(엎드려)”, “Stay(가만히 있어)”라고 말한 것처럼, 동작을 나타내는 표현을 곧장 쓰면 누군가에게 **“~해”**라고 명령하는 말이 돼요. 이때 동작 표현은 원래 모습 그대로 써야 해요.

[동작의 원래 모습]: ~해

Be quiet.
조용히 해.
* 명령하는 표현에서는 be도 원래 모습 그대로 써요.

Wash your hands before dinner.
저녁 먹기 전에 손을 씻어라.

Read books every day.
매일 책을 읽어라.

Drink some water.
물 좀 마셔.

우리말과 뜻이 통하도록 네모 안에 들어 있는 말을 바르게 배열해 보세요.

1. 열심히 영어를 공부해라.

hard 열심히	English 영어	study 공부하다

Study English ______________________________ .

2. 11시 전에 자러 가라.

11 o'clock 11시	go to bed 자러 가다	before ~ 전에

______________________________ .

3. 그 뜨거운 접시들을 조심해.

careful 조심하는	the hot plates 그 뜨거운 접시들	be ~이다	with ~을

______________________________ .

4. 창문을 조금 더 열어.

a little more 조금 더	the window 창문	open 열다

______________________________ .

5. 너의 이를 닦아라.

your 너의	brush 닦다	teeth 이

______________________________ .

VOCABULARY

~을 보다

look at

어머니

mother

똑똑한

smart

바로 뒤를 따라가다

heel

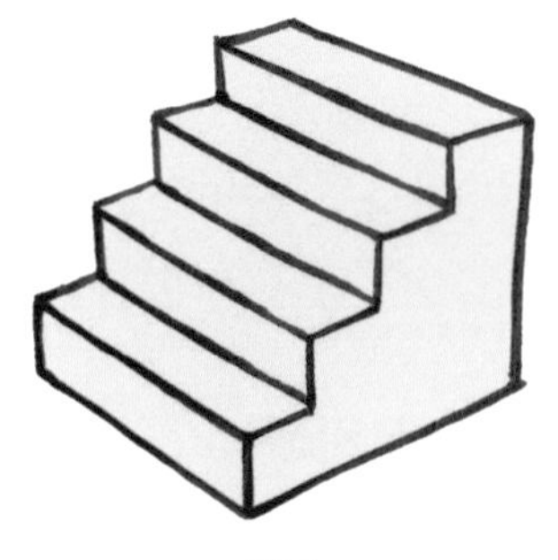

계단

steps

구르다

roll

침을 흘리다

drool

손님

company

얼굴을 찌푸리다

frown

옆집

next door

방문하다

visit

깎다

mow

잔디

grass

필요하다

need

선생님

teacher

학년 (second grade 2학년)

grade

코를 골다

snore

낮잠

nap

VOCABULARY QUIZ

1 알파벳을 연결해서 단어를 만들고, 알맞은 그림과 연결해 보세요.

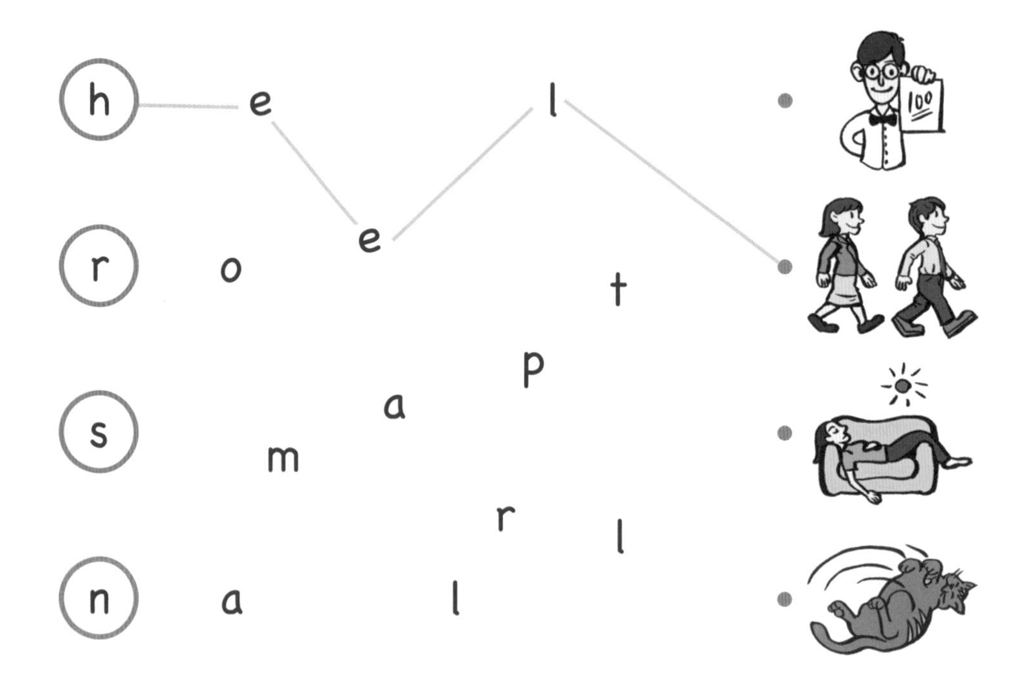

2 빈칸에 알맞은 알파벳을 넣어 단어를 완성해 보세요.

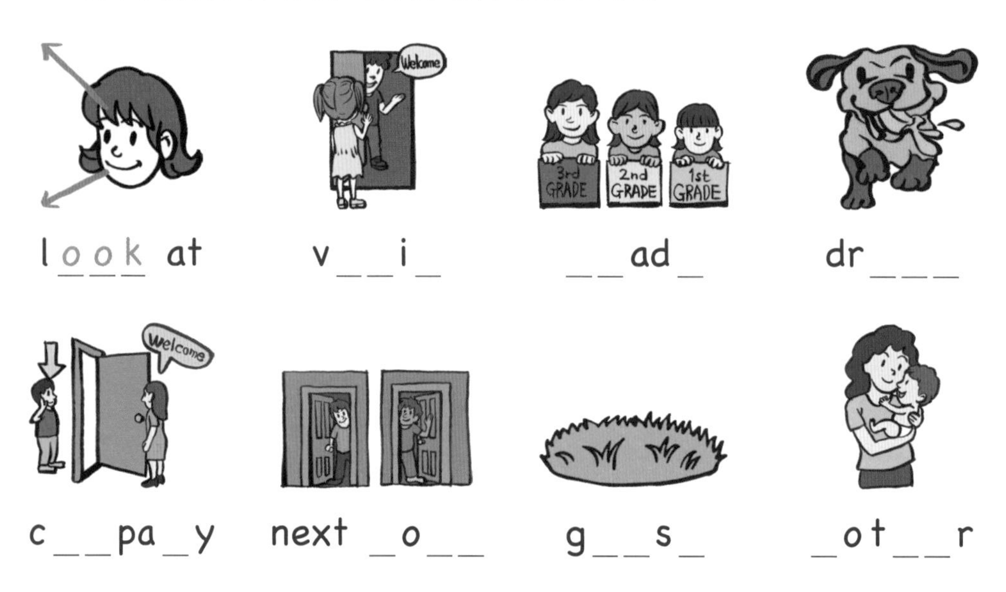

3 그림을 보고 알맞은 단어를 넣어 퍼즐을 완성해 보세요.

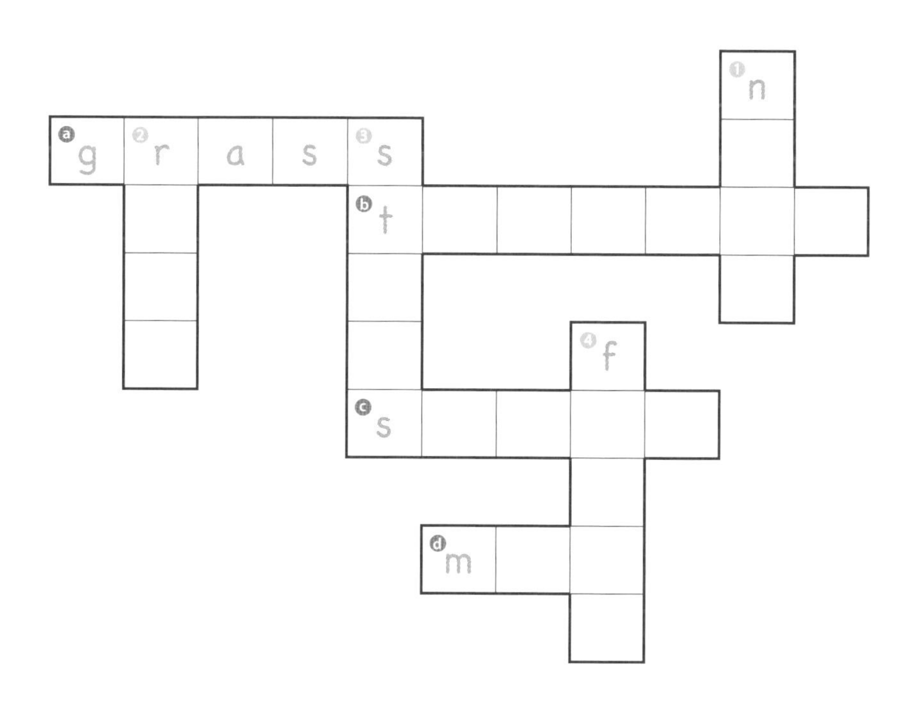

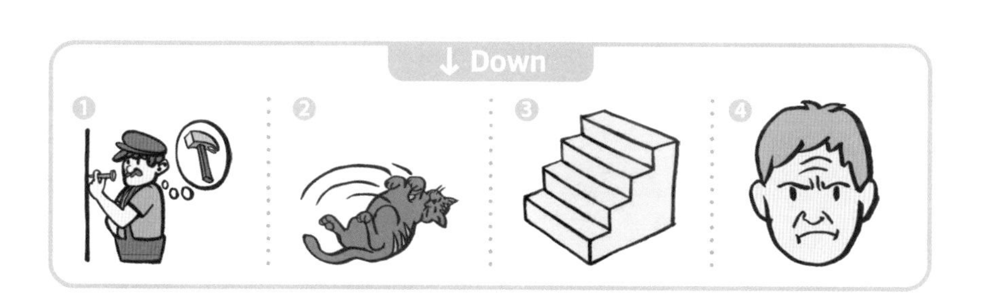

WRAP-UP QUIZ

1 이야기의 순서에 맞게 그림을 배열해 보세요.

a

Mudge sometimes had trouble staying in one place.

b

Mudge just rolled over and drooled.

c

Henry gave an order to Mudge like the owner of the collie.

d

Henry thought that Mudge might need a good teacher.

 ···▸  ···▸  ···▸ 

2 다음 질문에 알맞은 답을 선택해 보세요.

1) What did Mudge do when Henry gave an order?

a. He lay down and fell asleep.

b. He rolled over and began to drool.

c. He suddenly ran down the steps.

2) Which of the following was NOT true about Mudge?

a. He was good at staying when company came.

b. He was bad at staying when the cat next door came.

c. He was bad at staying when Henry's father mowed the grass.

3) What did Henry hope for dog school?

a. He hoped dog school had nap time.

b. He hoped dog school had a lot of dogs.

c. He hoped dog school had a long break.

3 책의 내용과 일치하면 **T**, 그렇지 않으면 **F**를 적어 보세요.

1) Mudge followed Henry when Henry said, "Heel." ____

2) Henry thought that Mudge might need to go to school. ____

3) Mrs. Crocus was Henry's first grade teacher. ____

유용한 영어 표현

Mudge is good at staying.
머지는 가만히 있는 것을 잘한다.

머지가 자신의 명령에 따르지 않았을 때 헨리는 그래도 머지가 잘하는 것이 있다고 말했죠. 그건 바로 가만히 있는 일이었어요. 이렇게 **"~하는 것을 잘하다"**라고 말할 때는 be good at을 먼저 쓰고, 동작을 나타내는 표현에 ing를 붙인 것을 이어서 쓰면 돼요.

be good at + [동작]ing: ~하는 것을 잘하다

She **is good at** singing.
그녀는 노래하는 것을 잘한다.

We **are good at** cooking.
우리는 요리하는 것을 잘한다.

My brother **was good at** drawing.
내 남동생은 그림 그리는 것을 잘했다.

They **were good at** all the sports.
그들은 모든 운동을 잘했다.

* 'be good at' 다음에 스포츠, 과목, 악기 등의 이름을 쓸 수도 있어요.

우리말과 뜻이 통하도록 네모 안에 들어 있는 말을 바르게 배열해 보세요.

1. 그 남자아이는 춤추는 것을 잘한다.

dancing 춤추는 것	the boy 그 남자아이	is good at ~을 잘하다

The boy is good at ______________________.

2. 그들은 외국어를 배우는 것을 잘한다.

foreign languages 외국어	they 그들	learning 배우는 것	are good at ~을 잘하다

______________________.

3. 내 여동생은 과학을 잘한다.

is good at ~을 잘하다	my sister 내 여동생	science 과학

______________________.

4. 내 할머니는 이야기들을 말하는 것을 잘했다.

was good at ~을 잘했다	my grandmother 내 할머니	telling 말하는 것	stories 이야기들

______________________.

5. 그 남자는 야구를 잘했다.

was good at ~을 잘했다	the man 그 남자	baseball 야구

______________________.

VOCABULARY

첫 번째의; 먼저

first

학교

school

새로운

new

빨간색의

red

가죽끈

leash

은색의

silver

목걸이

collar

상자

box

간

liver

간식

treat

불안해하는

nervous

~일지도 모른다

might

낙제하다

flunk

개

dog

선생님

teacher

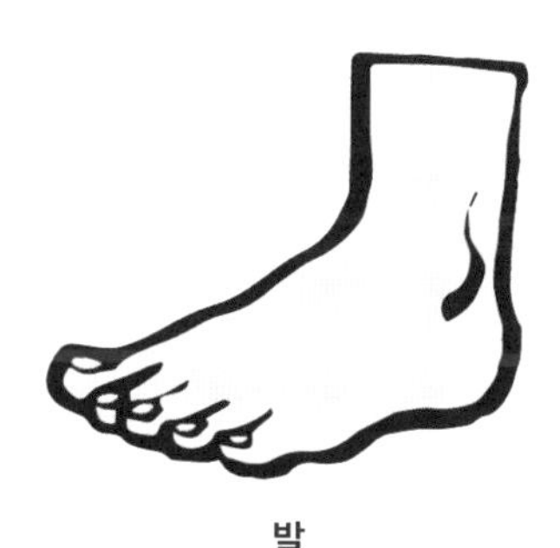

발

foot

실수 (by mistake 실수로)

mistake

(공을) 라켓으로 치다

paddle

VOCABULARY QUIZ

1 그림에 맞는 단어를 퍼즐에서 찾아 표시하고 단어를 써 보세요.

q	w	k	t	n	e	r	v	o	u	s
y	s	d	f	h	j	r	q	w	v	i
k	c	a	s	k	l	m	g	d	h	l
n	h	g	c	j	i	o	v	z	g	v
d	o	g	h	v	v	q	c	t	s	e
q	o	w	m	h	e	z	f	e	d	r
z	l	m	g	u	r	x	c	a	f	x
x	a	d	t	y	a	h	a	c	g	z
b	f	i	r	s	t	j	l	h	h	p
c	o	l	k	t	b	n	k	e	y	o
n	u	r	e	d	y	o	p	r	u	i

2 그림에 맞는 단어를 연결하고 빈칸에 알맞은 알파벳을 넣어 보세요.

3 글자를 바르게 배열하여 단어를 완성해 보세요.

e w n

______

l o l c r a

______

o b x

______

t a e r t

______

p a l d e d

______

k l n u f

______

i h m g t

______

t o f o

______

1 이야기의 순서에 맞게 그림을 배열해 보세요.

a

Henry worried that Mudge might sit on other dogs.

b

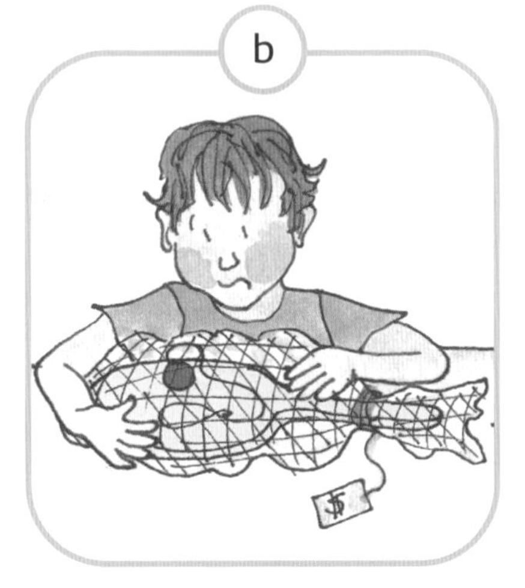

Henry was nervous when he thought about Mudge in dog school.

c

Henry was so nervous that he paddled like crazy.

d

Henry went shopping to buy things for Mudge.

2 다음 질문에 알맞은 답을 선택해 보세요.

1) For what did Henry go shopping?
   a. For Mudge's first day of school
   b. For Mudge's birthday
   c. For his parents' 10th anniversary

2) Which of the following did Henry NOT buy for Mudge?
   a. A new leash
   b. A red collar
   c. A box of liver treats

3) Why did Henry worry about Mudge's going to dog school?
   a. He thought Mudge's teacher might be a bad person.
   b. He thought Mudge might not be interested in dog school.
   c. He thought Mudge might drool on his teacher's foot.

3 책의 내용과 일치하면 T, 그렇지 않으면 F를 적어 보세요.

1) Henry bought Mudge a new yellow leash. ______

2) Henry thought Mudge might flunk dog school. ______

3) Henry paddled when he was nervous. ______

PATTERN DRILL

유용한 영어 표현

Henry **went** shopp**ing** for Mudge.
헨리는 머지를 위해 쇼핑하러 갔다.

학교에 가게 된 머지를 위해서 헨리는 엄마와 함께 필요한 물건을 사러 갔어요. 이렇게 **"~하러 가다"**라고 말할 때는 **go**를 먼저 쓰고, 동작을 나타내는 표현에 **ing**를 붙여서 함께 써요.

go + [동작]ing : ~하러 가다

We **go** skateboard**ing**.
우리는 스케이트보드를 타러 간다.

They **go** swimm**ing**.
그들은 수영하러 간다.

He **went** fish**ing** with his father.
그는 그의 아버지와 함께 낚시하러 갔다.
* 지나간 일에 대해 말할 때 go는 went로 변해요.

I **went** runn**ing** every day.
나는 매일 달리러 갔다.

우리말과 뜻이 통하도록 네모 안에 들어 있는 말을 바르게 배열해 보세요.

1. 그 소년들은 지난주에 다이빙하러 갔다.

the boys	last week	diving	went
그 소년들	지난주	다이빙하는 것	갔다

The boys went ______________________________.

2. 내 부모님은 조깅하러 간다.

go	my parents	jogging
가다	내 부모님	조깅하는 것

______________________________.

3. 나는 내 이모와 함께 스키를 타러 갔다.

skiing	went	I	with my aunt
스키를 타는 것	갔다	나	내 이모와 함께

______________________________.

4. 내 가족은 캠핑하러 갔다.

went	my family	camping
갔다	내 가족	캠핑하는 것

______________________________.

5. 그들은 우리와 함께 춤추러 갔다.

dancing	they	with us	went
춤추는 것	그들	우리와 함께	갔다

______________________________.

VOCABULARY

첫 번째의; 먼저

first

학교

school

도착하다

arrive

어머니

mother

큰

big

긴

long

흰색의

white

건물

building

움큼

handful

간식

treat

흔들다 (과거형 wagged)

wag

뛰다

jump

핥다; 핥기

lick

얼굴

face

발

paw

춤추게 하다, 춤추다

dance

두려워하는

afraid

재미있는; 재미

fun

VOCABULARY QUIZ

1 알파벳을 연결해서 단어를 만들고, 알맞은 그림과 연결해 보세요.

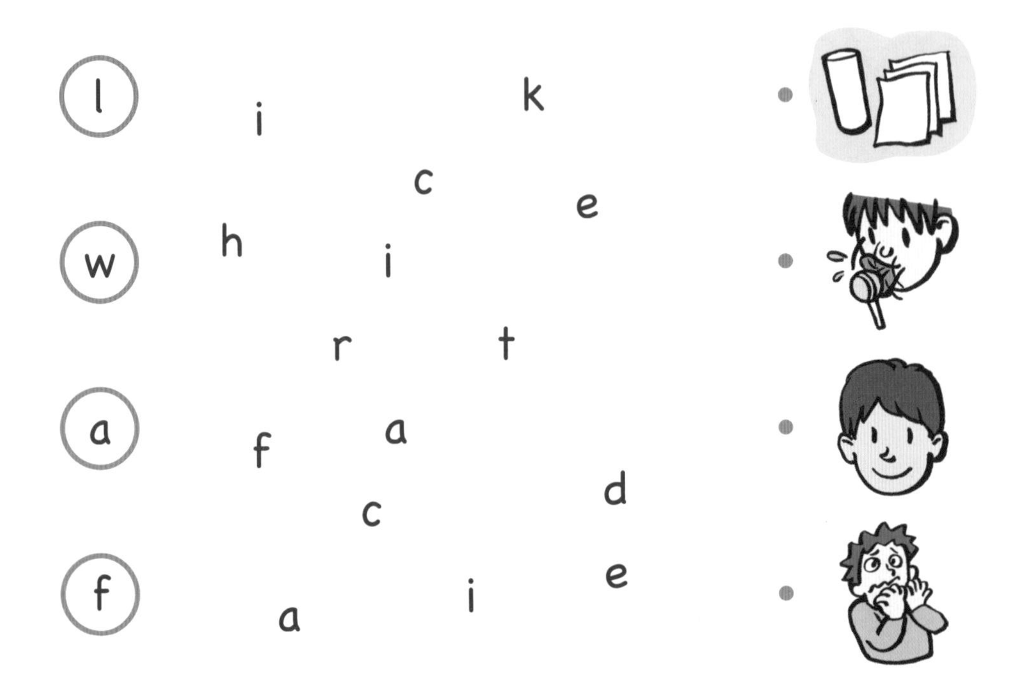

2 빈칸에 알맞은 알파벳을 넣어 단어를 완성해 보세요.

3 그림을 보고 알맞은 단어를 넣어 퍼즐을 완성해 보세요.

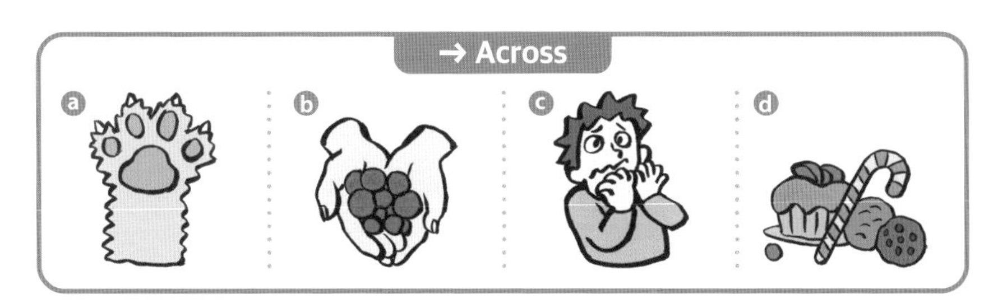

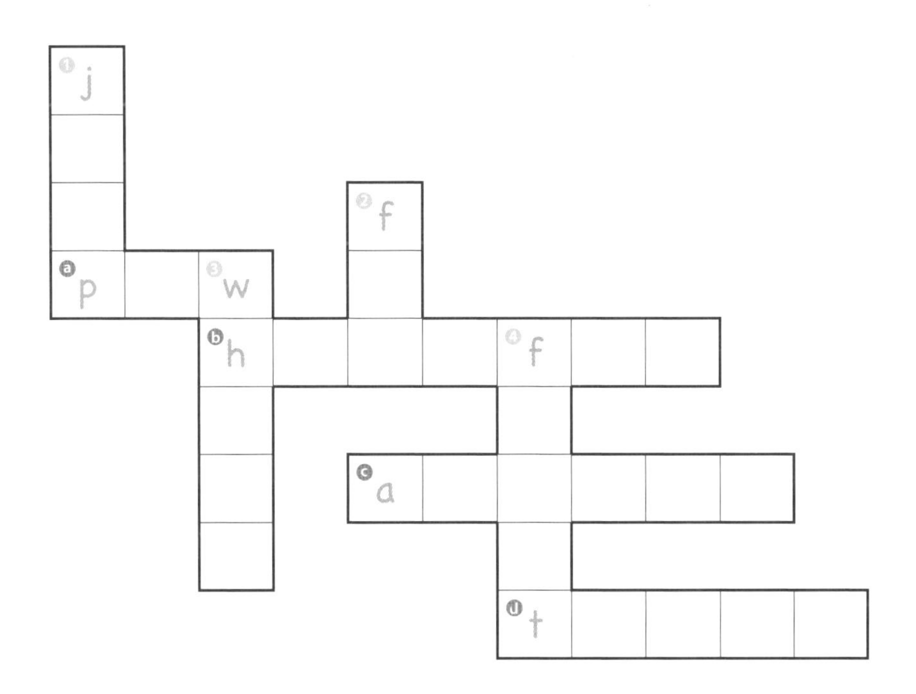

WRAP-UP QUIZ

1 이야기의 순서에 맞게 그림을 배열해 보세요.

a

Mudge did not jump up again, as he had learned his lesson.

b

Henry, his mother, and Mudge drove to Papp's Dog School.

c

Mudge jumped up to lick the teacher's face.

d

Jack Papp danced with Mudge all around.

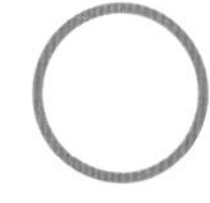 ··· ▸  ··· ▸ 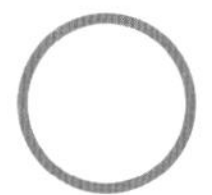 ··· ▸ 

2 다음 질문에 알맞은 답을 선택해 보세요.

1) What did Mudge do when he saw Jack Papp?

a. He ran away from Jack Papp.

b. He drooled on Jack Papp's pants.

c. He licked Jack Papp's face.

2) Why did Mudge NOT jump again when Jack Papp let go of him?

a. He did not like Jack Papp.

b. He did not like dancing.

c. He did not want to be in dog school.

3) What did Henry and his mother think of Mudge's new teacher?

a. He was a good teacher.

b. He was a bad teacher.

c. He was a weird teacher.

3 책의 내용과 일치하면 T, 그렇지 않으면 F를 적어 보세요.

1) Jack Papp was Mudge's new teacher. ____

2) Mudge jumped up to bite one of Jack Papp's fingers. ____

3) Mudge wanted to dance with Jack Papp again. ____

유용한 영어 표현

Jack Papp knew **what to** do.
책 팝 선생님은 무엇을 해야 할지 알았다.

잭 팝 선생님을 보자마자 선생님의 얼굴을 핥아 버린 머지! 그런 머지를 말리려는 헨리에게 선생님은 자신이 무엇을 해야 할지 알고 있으니 괜찮다고 했어요. 이렇게 **"무엇을 ~(해야) 할지"**라고 말할 때는 what to 다음에 동작을 나타내는 표현을 원래 모습 그대로 써요.

what to + [동작]: 무엇을 ~(해야) 할지

I do not know **what to** say.
나는 무엇을 말해야 할지 모른다.

We decided **what to** eat.
우리는 무엇을 먹을지 결정했다.

We talk about **what to** wear on Halloween.
우리는 핼러윈에 무엇을 입을지에 대해 이야기한다.

He told his children **what to** do next.
그는 자신의 아이들에게 다음에 무엇을 해야 할지 말했다.

우리말과 뜻이 통하도록 네모 안에 들어 있는 말을 바르게 배열해 보세요.

1. 우리는 TV에서 무엇을 볼지 결정했다.

we	what to	decided	watch	on TV
우리	무엇을 ~할지	결정했다	보다	TV에서

We decided ______________________________.

2. 나는 무엇을 그릴지에 대해 생각했다.

draw	what to	I	thought about
그리다	무엇을 ~할지	나	~에 대해 생각했다

______________________________.

3. 우리는 무엇을 살지 논의한다.

we	buy	discuss	what to
우리	사다	논의하다	무엇을 ~할지

______________________________.

4. 그들은 무엇을 믿어야 할지 안다.

believe	know	what to	they
믿다	알다	무엇을 ~해야 할지	그들

______________________________.

5. 나는 무엇을 찾아야 할지 잊어버렸다.

what to	forgot	search for	I
무엇을 ~해야 할지	잊어버렸다	~을 찾다	나

______________________________.

VOCABULARY

완벽한
perfect

학생
student

눕다
lie

킁킁거리다
sniff

다른
other

생각하다
think

나타나다
show up

흔들다 (과거형 wagged)
wag

집, 가정
home

연습하다

practice

뒷마당

backyard

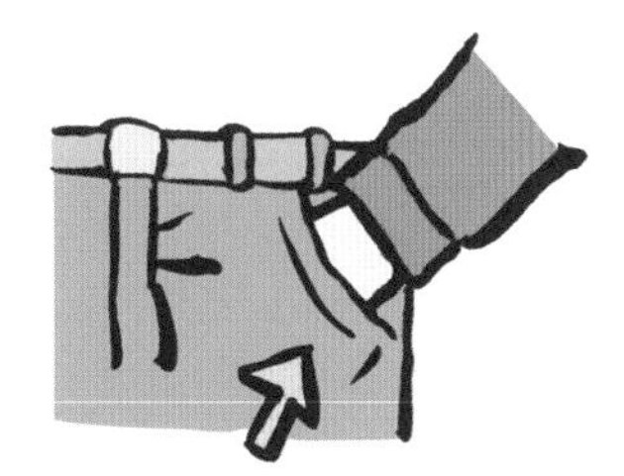

주머니

pocket

앉다 (과거형 sat)

sit

걷다

walk

바로 뒤를 따라가다

heel

가만히 있다, 머무르다

stay

옆집

next door

수업

class

VOCABULARY QUIZ

1 그림에 맞는 단어를 퍼즐에서 찾아 표시하고 단어를 써 보세요.

p	r	a	c	t	i	c	e	h	g	f
u	a	u	d	w	k	m	b	n	c	t
p	f	w	a	g	r	t	k	o	c	h
o	v	g	a	w	i	u	n	t	q	i
c	s	h	b	p	z	x	v	h	e	n
k	q	s	n	i	f	f	m	e	w	k
e	w	r	t	p	q	y	k	r	r	d
t	p	o	u	o	s	d	l	p	t	a
s	f	i	g	h	g	w	a	l	k	p
j	h	o	m	e	h	e	z	x	y	o
m	n	b	c	v	j	l	b	v	u	i

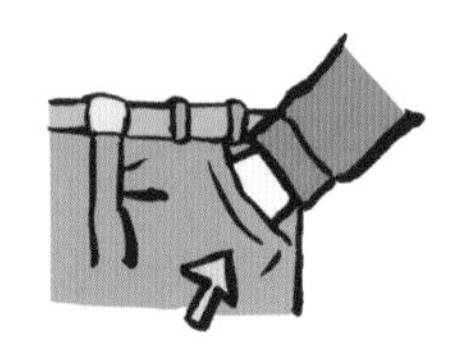

2 그림에 맞는 단어를 연결하고 빈칸에 알맞은 알파벳을 넣어 보세요.

 • • n _ _ t door

 • • s _ _ d _ n _

 • • ba _ k _ a _ d

3 글자를 바르게 배열하여 단어를 완성해 보세요.

p e e c r f t

______

h o s w

______  up

i s t

______

k a w l

______

e i l

______

a s l c s

______

l e h e

______

y s t a

______

1 이야기의 순서에 맞게 그림을 배열해 보세요.

a

But Mudge always went to his school.

b

Henry practiced with Mudge in his backyard.

c

Mudge was not a perfect student.

d

Mudge was still distracted by the cat next door.

2 다음 질문에 알맞은 답을 선택해 보세요.

1) What did Mudge like to sniff?

a. Jack Papp

b. The cat next door

c. The other students

2) What did Mudge get when he did something right?

a. A cracker

b. A dog bone

c. A liver treat

3) How many weeks did Henry and Mudge go to dog class?

a. For four weeks

b. For eight weeks

c. For twelve weeks

3 책의 내용과 일치하면 T, 그렇지 않으면 F를 적어 보세요.

1) Mudge was a perfect student at dog school. ____

2) Mudge always gave Jack Papp a kiss. ____

3) Mudge got most things right. ____

PATTERN DRILL

유용한 영어 표현

Mudge liked to **think about** other things.
머지는 다른 것들에 대해 생각하는 것을 좋아했다.

다른 것에 대해 생각하는 것을 너무 좋아하는 머지는 가끔 수업에 집중하지 못했지요. 이렇게 **"~에 대해 생각하다"**라고 말할 때는 think about 다음에 사람이나 사물 등의 대상을 쓰면 돼요.

think about + [대상]: ~에 대해 생각하다

I **think about** you every day.
나는 매일 너에 대해 생각한다.

We **think about** our health.
우리는 우리의 건강에 대해 생각한다.

They **thought about** the Christmas party.
그들은 크리스마스 파티에 대해 생각했다.
＊ 지나간 일에 대해 말할 때 think는 thought으로 변해요.

She **thought about** the terrible accident for days.
그녀는 며칠 동안 그 끔찍한 사고에 대해 생각했다.

우리말과 뜻이 통하도록 네모 안에 들어 있는 말을 바르게 배열해 보세요.

1. 나는 내 미래에 대해 생각한다.

think	I	my future	about
생각하다	나	내 미래	~에 대해

I think ______________________________.

2. 그들은 머지의 중요한 시험에 대해 생각한다.

about	big test	Mudge's	they	think
~에 대해	중요한 시험	머지의	그들	생각하다

______________________________.

3. 우리는 그 문제에 대해 생각했다.

thought	we	the problem	about
생각했다	우리	그 문제	~에 대해

______________________________.

4. 그는 그 영리한 개에 대해 생각했다.

the smart dog	thought	he	about
그 영리한 개	생각했다	그	~에 대해

______________________________.

5. 그녀는 그 계획에 대해 생각했다.

the plan	she	about	thought
그 계획	그녀	~에 대해	생각했다

______________________________.

VOCABULARY

마지막

last

시험

test

부모님

parents

도착하다

arrive

일찍

early

통과하다

pass

속삭이다; 속삭임

whisper

차례; 돌다, 되다

turn

빙 둘러, 주위에

around

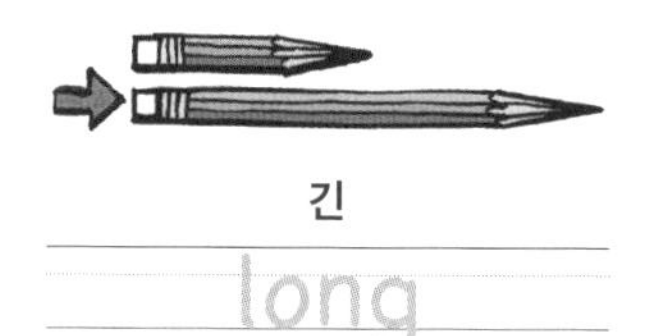

긴

long

흰색의

white

건물

building

바라다

hope

같은

same

장소

place

수료증

certificate

손뼉을 치다 (과거형 clapped)

clap

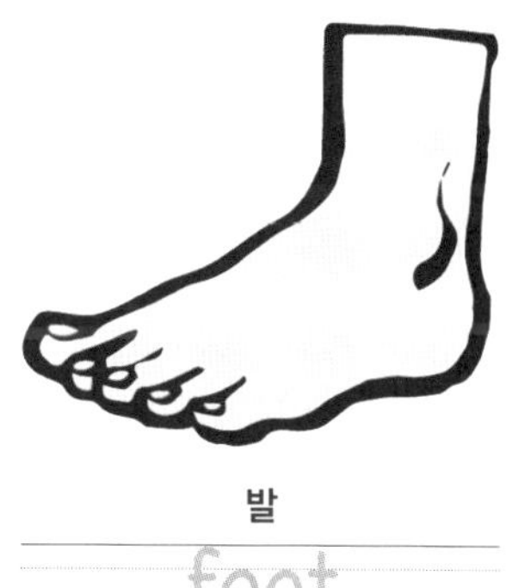

발

foot

VOCABULARY QUIZ

1 알파벳을 연결해서 단어를 만들고, 알맞은 그림과 연결해 보세요.

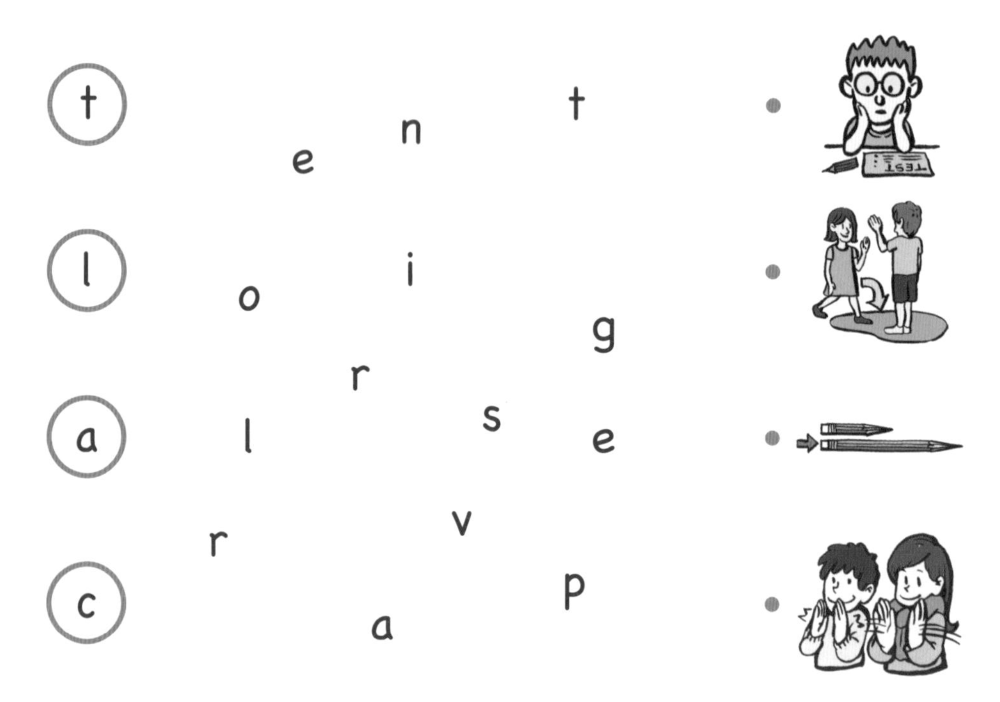

2 빈칸에 알맞은 알파벳을 넣어 단어를 완성해 보세요.

3 그림을 보고 알맞은 단어를 넣어 퍼즐을 완성해 보세요.

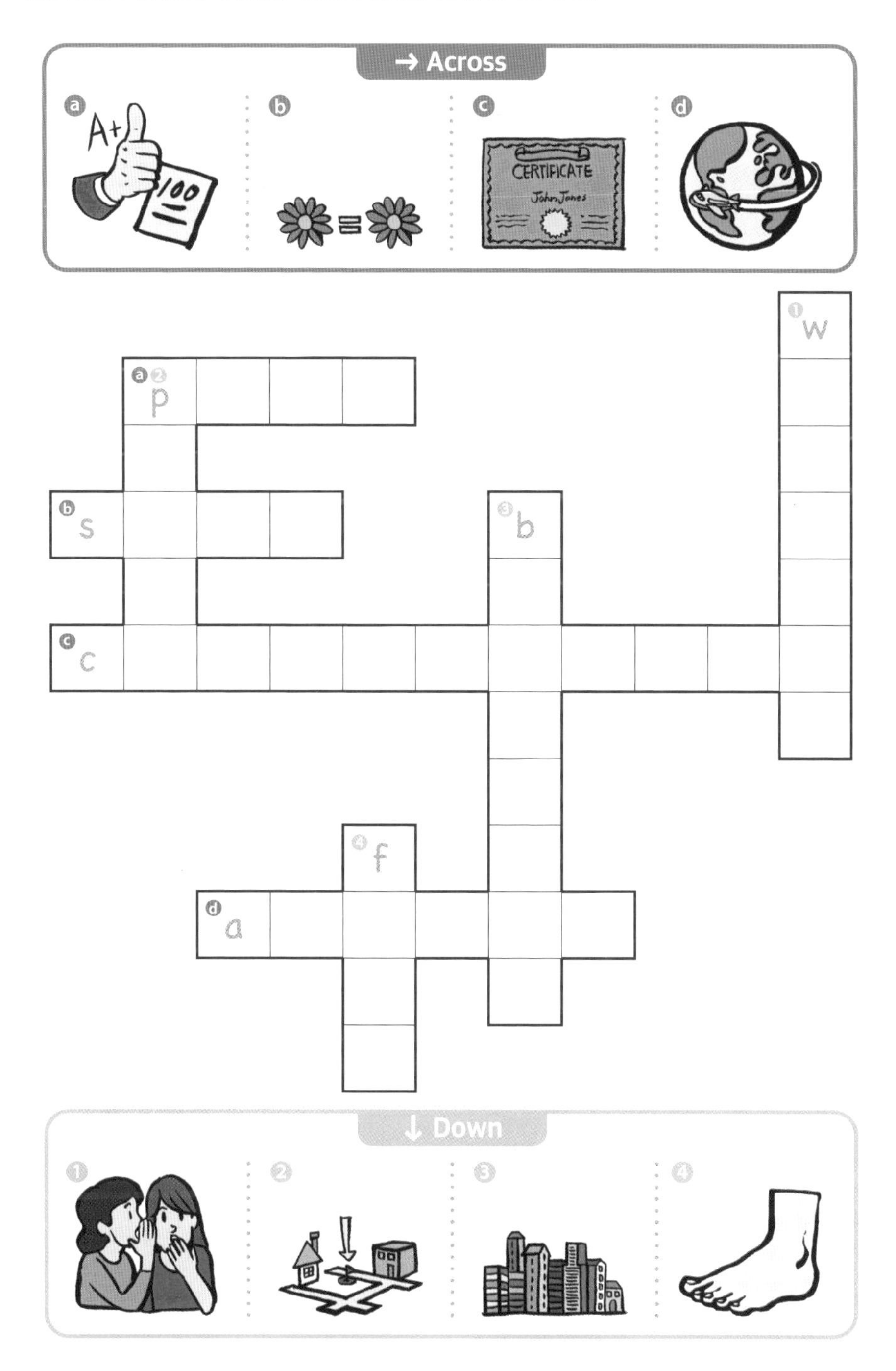

WRAP-UP QUIZ

1 이야기의 순서에 맞게 그림을 배열해 보세요.

a

It was Mudge's turn to take a test.

b

Henry was happy to see Mudge stay in the same place.

c

Mudge passed the big test and got his certificate.

d

Henry hoped that Mudge would follow his order to stay.

    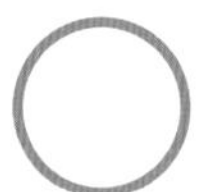  

2 다음 질문에 알맞은 답을 선택해 보세요.

1) Which dog took the test before Mudge?

a. The poodle

b. The beagle

c. The chow chow

2) What did Mudge do when Henry came around the building?

a. Mudge lay down in the same place and wagged his tail.

b. Mudge wandered away from where Henry had left him.

c. Mudge fell asleep.

3) Which of the following was NOT a prize Mudge got?

a. A fancy certificate

b. A gold ribbon

c. A giant ginger cookie

3 책의 내용과 일치하면 T, 그렇지 않으면 F를 적어 보세요.

1) Mudge took the test after the chow chow. ____

2) Henry wished that he had his paddle-ball during the test. ____

3) Henry's parents praised Mudge for being smart. ____

유용한 영어 표현

Mudge **did** stay!
머지는 정말 가만히 있었다!

드디어 중요한 시험을 보게 된 헨리와 머지. 헨리는 자신이 돌아올 때까지 머지가 그 자리에 가만히 있기를 바랐어요. 그리고 머지는 정말로 헨리의 명령을 따랐어요! 이렇게 **"정말 ~한다"**, **"정말 ~했다"**라는 말로 어떤 행동을 강조할 때는 do 또는 did를 쓴 다음 동작을 나타내는 표현을 원래 모습 그대로 써요.

do + [동작]: 정말 ~한다
did + [동작]: 정말 ~했다

I **do** love you.
나는 너를 정말 사랑한다.

They **do** hate snakes.
그들은 뱀을 정말 싫어한다.

That hamburger **did** taste good.
저 햄버거는 정말 맛있었다.

We **did** send the email to you.
우리는 당신에게 정말 이메일을 보냈다.

우리말과 뜻이 통하도록 네모 안에 들어 있는 말을 바르게 배열해 보세요.

1. 너는 요리를 정말 잘한다.

cook	well	do	you
요리하다	잘	정말 ~하다	너

You do ______________________________.

2. 나는 너를 정말 돕고 싶다.

I	you	do	help	want to
나	너	정말 ~하다	돕다	~하고 싶다

______________________________.

3. 그는 정말 그 창문을 깼다.

the window	he	break	did
창문	그	깨다	정말 ~했다

______________________________.

4. 내 남동생은 정말 도서관에 갔다.

did	my brother	to the library	go
정말 ~했다	내 남동생	도서관에	가다

______________________________.

5. 그녀는 정말 피곤해 보였다.

tired	she	look	did
피곤한	그녀	보이다	정말 ~했다

______________________________.

ANSWERS

Part 1

Vocabulary Quiz

1.

a	w	c	a	f	q	y	b	n	j	k
s	u	n	n	y	z	s	s	m	u	v
j	f	g	o	q	e	t	d	o	l	s
k	s	h	t	u	z	r	z	t	f	d
v	t	l	h	a	l	e	o	h	w	o
z	o	z	e	q	d	e	d	e	v	i
n	p	c	r	x	f	t	c	r	q	e
e	q	f	j	k	l	l	u	o	i	e
r	t	t	o	g	e	t	h	e	r	a
a	h	c	k	e	i	r	l	s	n	q
h	e	e	l	j	f	d	m	d	o	g

2.

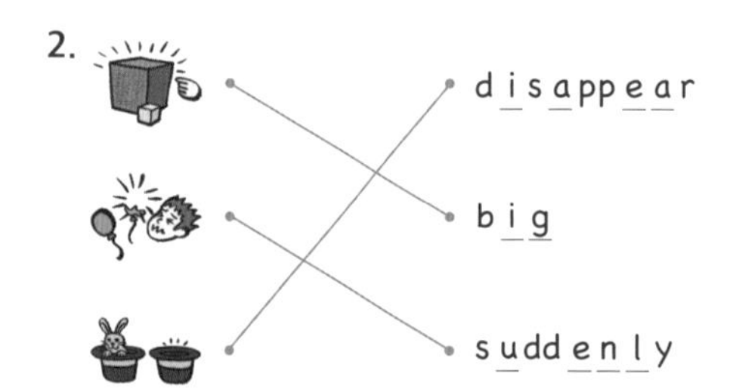

3. sit / porch / both / look at
turn / sunny / walk / stay

Wrap-up Quiz

1. d ···› b ···› c ···› a
2. 1) a 2) c 3) c
3. 1) F 2) T 3) F

Pattern Drill

1. Study English hard.
2. Go to bed before 11 o'clock.
3. Be careful with the hot plates.
4. Open the window a little more.
5. Brush your teeth.

Part 2

Vocabulary Quiz

1.

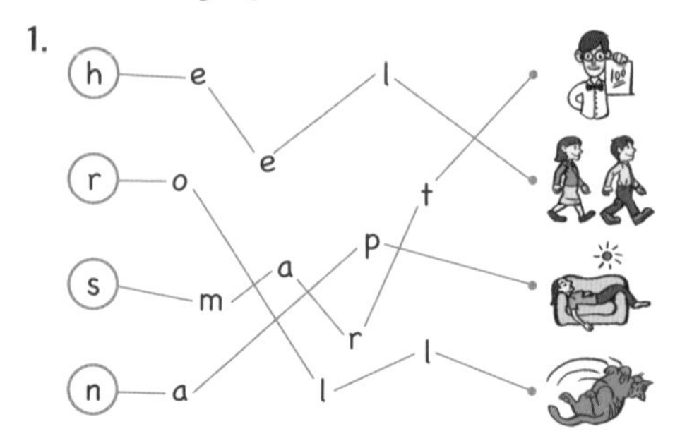

2. look at / visit /grade / drool
company / next door / grass / mother

3.

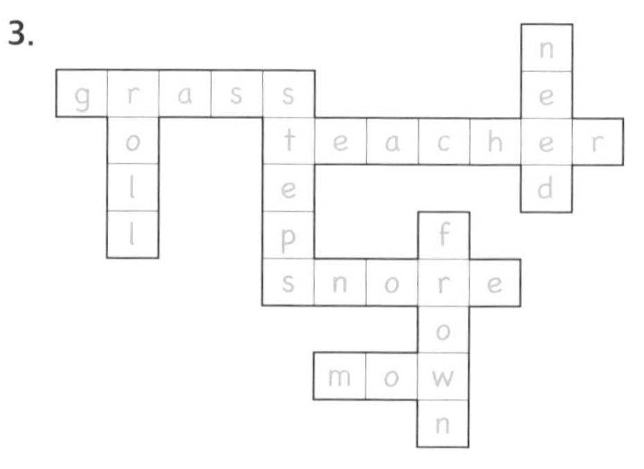

Wrap-up Quiz

1. c ···› b ···› a ···› d
2. 1) b 2) a 3) a
3. 1) F 2) T 3) F

Pattern Drill

1. The boy is good at dancing.
2. They are good at learning foreign languages.
3. My sister is good at science.
4. My grandmother was good at telling stories.
5. The man was good at baseball.

Part 3

Vocabulary Quiz

1\.

2\.

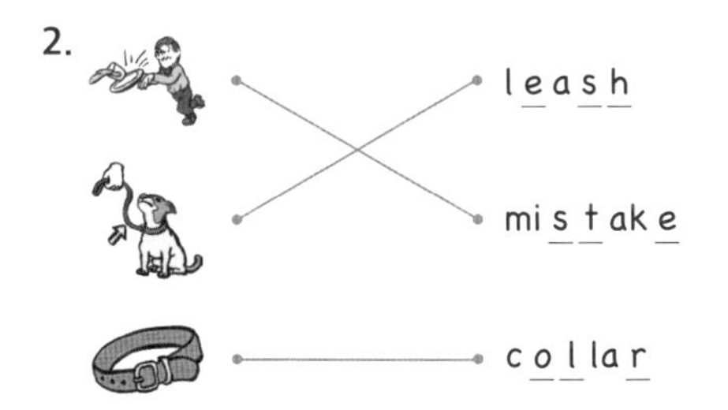

3\. new / collar / box / treat

paddle / flunk / might / foot

Wrap-up Quiz

1\. d ···› b ···› a ···› c

2\. 1) a 2) b 3) c

3\. 1) F 2) T 3) T

Pattern Drill

1. The boys went diving last week.
2. My parents go jogging.
3. I went skiing with my aunt.
4. My family went camping.
5. They went dancing with us.

Part 4

Vocabulary Quiz

1\.

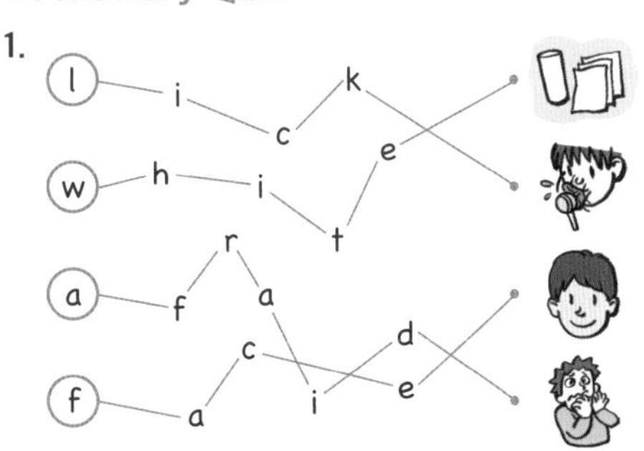

2\. mother / arrive / big / building

dance / school / wag / long

3\.

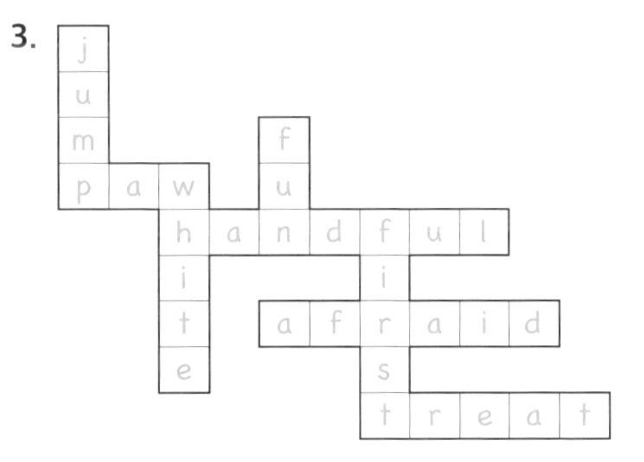

Wrap-up Quiz

1\. b ···› c ···› d ···› a

2\. 1) c 2) b 3) a

3\. 1) T 2) F 3) F

Pattern Drill

1. We decided what to watch on TV.
2. I thought about what to draw.
3. We discuss what to buy.
4. They know what to believe.
5. I forgot what to search for.

ANSWERS

Part 5

Vocabulary Quiz

1.

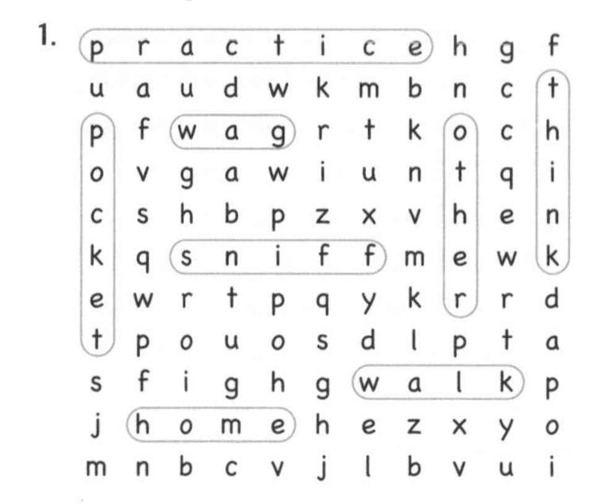

2.

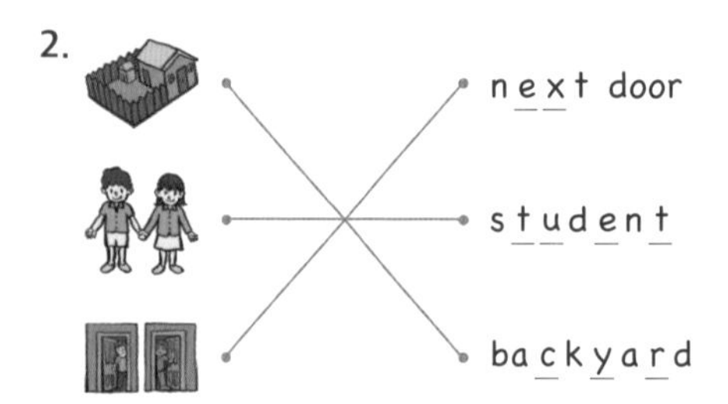

3. perfect / show up / sit / walk
   lie / class / heel / stay

Wrap-up Quiz

1. c ···› a ···› b ···› d
2. 1) c 2) c 3) b
3. 1) F 2) T 3) T

Pattern Drill

1. I think about my future.
2. They think about Mudge's big test.
3. We thought about the problem.
4. He thought about the smart dog.
5. She thought about the plan.

Part 6

Vocabulary Quiz

1.

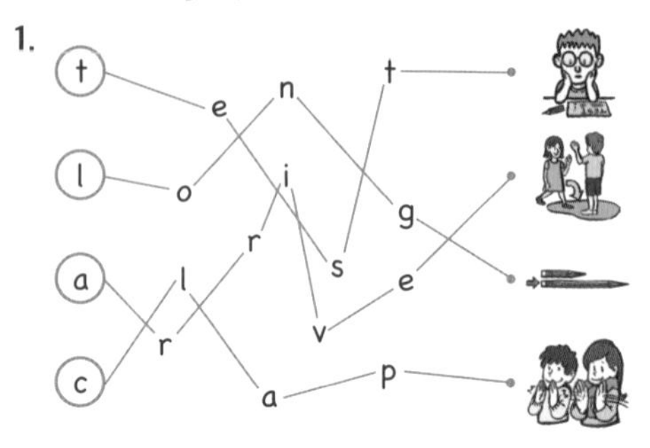

2. last / early / hope / around
   whisper / turn / parents / white

3.

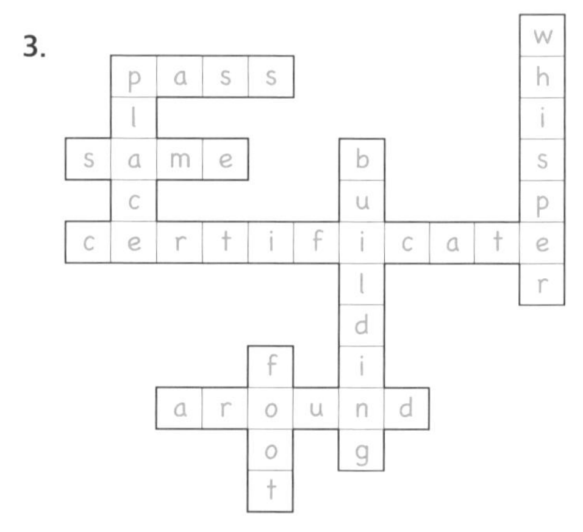

Wrap-up Quiz

1. a ···› d ···› b ···› c
2. 1) b 2) a 3) c
3. 1) F 2) T 3) T

Pattern Drill

1. You do cook well.
2. I do want to help you.
3. He did break the window.
4. My brother did go to the library.
5. She did look tired.

PAPP'S
DOG
SCHOOL

HENRY AND MUDGE

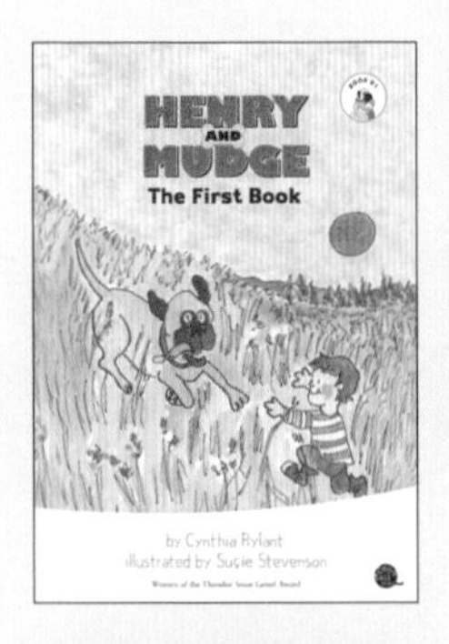

01 **HENRY AND MUDGE** The First Book

02 **HENRY AND MUDGE** in Puddle Trouble

03 **HENRY AND MUDGE** in the Green Time

04 **HENRY AND MUDGE** under the Yellow Moon

05 **HENRY AND MUDGE** in the Sparkle Days

06 **HENRY AND MUDGE** and the Forever Sea

07 **HENRY AND MUDGE** Get the Cold Shivers

08 **HENRY AND MUDGE** and the Happy Cat

09 **HENRY AND MUDGE** and the Bedtime Thumps

10 **HENRY AND MUDGE** Take the Big Test

11 **HENRY AND MUDGE** and the Long Weekend

12 **HENRY AND MUDGE** and the Wild Wind

학부모와 학습자들이 강력 추천하는 필독 원서,
『헨리와 머지 (Henry and Mudge)』 시리즈!

훨씬 더 넓어진 판형과 가독성을 극대화한 영문 서체로 새롭게 출간되었습니다

『헨리와 머지 (Henry and Mudge)』 시리즈는 소년 헨리와 커다란 개 머지가
소소한 일상 속에서 우정을 쌓아 가는 모습을 따뜻한 시선으로 그려낸 책입니다.
48페이지 이하의 부담 없는 분량에 귀엽고 포근한 느낌의 그림이 더해졌고,
짧고 반복되는 문장으로 이루어져 완독 경험이 없는 초급 영어 학습자도 즐겁게 읽을 수 있습니다.
롱테일북스의 『헨리와 머지 (Henry and Mudge)』 시리즈로 원서 읽는 습관을 시작해 보세요!

HENRY AND MUDGE TAKE THE BIG TEST

헨리 와 머지
중요한 시험을 보다

초판 발행	2021년 1월 15일
글	신시아 라일런트
그림	수시 스티븐슨
번역및콘텐츠감수	정소이 박새미 유아름
콘텐츠제작참여	최선민 선생님(충남 보령 성주초) 김수정 선생님(경기 부천 부인초)
	권재범 선생님(충남 계룡 금암초) 박은정 선생님
책임편집	정소이 박새미 김보경
디자인	모희정 김진영
저작권	김보경
마케팅	김보미 정경훈
펴낸이	이수영
펴낸곳	(주)롱테일북스
출판등록	제2015-000191호
주소	04043 서울특별시 마포구 양화로 12길 16-9(서교동) 북앤빌딩 3층
전자메일	helper@longtailbooks.co.kr
ISBN	979-11-86701-77-5 14740

롱테일북스는 (주)북하우스 퍼블리셔스의 계열사입니다.

이 도서의 국립중앙도서관 출판예정도서목록(CIP)은 서지정보유통지원시스템 홈페이지(http://seoji.nl.go.kr)와
국가자료종합목록 구축시스템(http://kolis-net.nl.go.kr)에서 이용하실 수 있습니다. (CIP 제어번호 : CIP2020053062)